Directeur de l'édition
Laurent Lachance

Direction artistique
et conception graphique
Dufour & Fille, Design inc.

Commercialisation
Jean-Pierre Dion

Diffusion
Presse Import Léo Brunelle inc.
307 Benjamin Hudon
Saint-Laurent, Montréal (Québec)
H4N 1J1
(514) 336-4333

ET

Éditions Télémédia inc.
Groupe Marketing Direct
2001, rue Université
9ᵉ étage
Montréal (Québec)
H3A 2A6
(514) 499-0561

Dépôt légal : 2ᵉ trimestre 1991
Bibliothèque nationale du Québec
Bibliothèque nationale du Canada

ISBN 2-551-12664-9

Imprimé au Canada

Cani-Cannelle
et les ronrons

Texte de
Sylvie Denis

Illustré par
Christine Dufour

Radio
Québec

Éducation
Québec

Ce n'est pas souvent que ça arrive. Mais ce matin, quand Cannelle s'est réveillée, elle était toute seule. Pas de Pruneau dans la chambre. Il a dormi chez son ami Loriot. D'habitude, le matin, Cannelle s'empresse de réveiller Pruneau. Tire une couverture par-ci, une jambe par-là... Mais aujourd'hui, il n'y a personne avec qui s'amuser.

— Bon! je vais aller voir maman et papa
se dit Cannelle.
Mais Cannelle sait que Perline et Perlin diront :

— Regarde l'heure, ma coccinelle. Il est bien trop tôt pour
venir nous réveiller.

Alors Cannelle se dit :

— Tiens, je vais écouter de la musique.

8

Mais Cannelle sait
qu'il est bien trop tôt pour
faire jouer la musique dans la maison.
Cannelle sait tout cela et bien autres choses
encore. Alors elle est restée couchée, pour penser.
Penser et rêver et penser et rêver encore.

9

Et puis sa main se glisse sous la couverture et, de ses doigts, elle invente un personnage. Son autre main va se glisser tout à côté et voilà un autre personnage! C'est Cani-Cannelle et Pruni-Pruneau!

— Qu'est-ce que tu fais? dit Pruni à Cani.

—J'attend l'autobus, dit-elle. Ah! le voilà!

Cani monte dans l'autobus la première. Mais où est donc Pruni? Elle le cherche du regard et l'aperçoit qui s'en va en courant.

— Attendez-moi, attendez-moi, je vais aller chercher ma boîte à surprises, dit Pruni.

13

La boîte à surprises de Pruni,
c'est sa collation. Il la prépare tout
seul et prend bien soin d'y mettre
toutes les bonnes choses qu'il
aime manger. Aujourd'hui, c'est
un soleil en fromage et en raisins.

15

Dans l'autobus, il y a
déjà du monde.
Deux gros ours
qui chantent,
deux girafes qui lisent,
un koala qui éternue,
deux bébés ratons laveurs
qui rigolent et une marmotte
qui s'endort. Cani et Pruni
trouvent une place juste
derrière les deux gros ours.
Les deux gros ours se
retournent et de leurs
gros yeux ronds
regardent les
nouveaux
passagers.

Une grosse voix de papa ours dit :

— Bonjour, bonjour! Aimez-vous la soupe aux ronrons?

— Peut-être, un petit peu... dit Pruni.

— C'est difficile à dire, dit Cani. Des ronrons, on ne connaît pas ça.

— Et bien, tant mieux! Vous pourrez goûter à quelque chose de nouveau. J'invite tout le monde chez nous pour manger de la soupe aux ronrons, crie le papa ours de sa grosse voix ronde.

D'accord?

19

Cani et Pruni ne sont pas sûrs d'être d'accord.
Pruni se demande bien ce que c'est des
ronrons. Il pense que c'est une soupe avec
quelque chose de rond dedans. De très très
rond. Rond rond.

L'autobus roule et roule puis s'arrête
finalement. Il fait déjà un peu moins de soleil
et un peu plus de lune, quand l'autobus
s'arrête au cœur de la forêt.

21

Et quand ils voient tous les chemins devant eux, les yeux des deux gros ours sont encore plus gros. Quel chemin faut-il prendre?

— C'est par-là, dit maman ours, pas très sûre d'elle.

— Non, non, je crois que c'est par-ici, dit papa ours, pas très sûr de lui.

Cani trouve ça bien curieux.

— Vous ne savez plus où est votre maison?

Non, la maman ours ne le sait plus, ni le papa ours. Ils cherchent et regardent et cherchent. Ils sont perdus. Perdus dans la forêt.

— On n'a jamais vu ça, dit le koala.

— Pourtant, un ours, ça ne se perd pas, dit la marmotte.

Cani et Pruni sont bien inquiets. Ils ne sont jamais venus ici et puis il fait un peu noir déjà dans la forêt. Et puis... ils

ont faim. Tout le monde a faim... Même que le gros ventre de papa ours fait des gros gargouillis...

— Venez manger, dit Pruni en ouvrant sa boîte à surprises. Venez manger mon soleil...

Oh! qu'ils sont contents de pouvoir manger un peu de fromage et des petits raisins... Mais il n'y en a pas beaucoup... et les amis ont très faim. En quelques secondes, il n'y a plus rien. Et tout le monde commence à avoir un peu peur. La marmotte a mal au cœur, les ratons laveurs sont en pleurs, papa ours a chaud, la girafe veut faire pipi, Cani-Cannelle a des frissons et Pruni-Pruneau a le cœur qui bat vite vite.

— Il faut faire quelque chose tout de suite!

— Sinon, il va faire trop noir, beaucoup trop noir, dit Pruni.

C'est Cani qui propose quelque chose :

— J'ai bien regardé. Il y a cinq chemins. Les ours vont dans le premier chemin, les girafes dans le deuxième chemin, les ratons laveurs dans le troisième chemin, le koala et la marmotte dans le quatrième chemin et Pruni et moi dans le cinquième chemin. On avance de dix pas, on regarde et on revient tout de suite raconter ce qu'on a vu. D'accord?

— D'accord! crient tous les animaux.

Dans la forêt, on entend tout le monde compter.

— Un pas, deux pas, trois pas, quatre pas,
cinq pas, six pas, sept pas, huit pas,
neuf pas, dix pas!

Et tout le monde revient.

— Nous, on a vu des arbres, beaucoup d'arbres, rien que des arbres, disent les ours, inquiets.

— Nous, on a vu des fleurs et une couleuvre, disent
Pruni et Cani, embêtés.

— Nous, on a entendu les oiseaux chanter, disent les girafes, soucieuses.

— Nous, on n'a rencontré que des crapauds, disent
la marmotte et le koala, déçus.

— Nous, on a trouvé ça, disent les ratons laveurs,
intrigués.

Ils montrent aux ours des petits fruits ronds, bien ronds, et bleus, bien bleus.

— Des ronrons! crient les ours. C'est ça! c'est merveilleux! On n'est plus perdus... Et ils se mettent à danser et danser! Ouf!

C'est la maman ours qui explique:

— Des ronrons, il y en a tout autour de notre maison et dans le chemin qui mène à notre maison. C'est nous qui les avons semés! Alors il ne nous reste qu'à prendre le chemin que les ratons laveurs ont suivi. En avant les amis et vive les ronrons!

Tout le monde s'élance dans
le chemin à la queue leu leu.
Les ours en premier,
suivis de Cani et Pruni,
suivis des ratons, suivis
des girafes et du koala, suivi
de la marmotte qui ne voit
rien, mais qui entend bien
les gargouillis
de papa ours.

Quelle joie pour tous
les amis de voir la
maison des ours
apparaître au
bout du chemin
des ronrons!

Enfin, ils vont goûter
à cette soupe tant
attendue. Une bonne
soupe aux ronrons.

— C'est comme une soupe aux bleuets, dit Cani étonnée.

— Ça ressemble aux bleuets, dit Pruni. C'est bleu comme des bleuets bleus et ronds comme des bleuets ronds.

— Et puis ça goûte vraiment les bleuets, dit Cani sûre d'elle.

Tout le monde le sait maintenant. Chez les ours, les bleuets, ça s'appelle des ronrons. Et c'est bien bon!

43

— Tiens, j'entends Perlin et
Perline. Ils sont biens réveillés
maintenant, se dit Cannelle.

Et Cannelle se rend à leur
chambre. Elle sait qu'ils vont
bientôt se lever. Elle sait aussi
qu'elle va manger de bonnes
céréales aux... ronrons.
Miam... miam...

45